小兔汤姆
成长的烦恼图画书
心理自助读物

汤姆躲猫猫

[法]玛丽-阿利娜·巴文 / 图　[法]伊丽莎白·德·朗比伊 / 文　梅思繁 / 译

海燕出版社

　　放学后，奥斯卡请我们和他一起玩躲猫猫游戏。不过我们玩的可不是一般的躲猫猫，而是要等天黑以后才开始的躲猫猫。

　　因此，大家一起耐心地等待着太阳落山。

玛丽终于来了。天也渐渐黑了下来。游戏可以开始了！雨果拿出他的手电筒给弗洛尔看。我也带了一个手电筒，是爸爸给我的。

奥斯卡向大家介绍游戏规则：

"我们其中的一个人负责找人和数数，在他数的时候，其他人要快速地找地方躲藏起来，花园里任何地方都可以。躲好之后，大家就要把手电筒关掉，不让找的人发现自己。"

"可是你家的花园实在是太大了。"雨果小声说。

"我们能不能两个人躲在一起？"玛丽轻轻地跟弗洛尔商量。

天越来越黑。

我知道玛丽其实怕得要死。不过，我自己也有点儿害怕。我开玩笑地说："奥斯卡，你说花园里会不会有个幽灵？"

"没有！"雨果喊着，"不过我敢肯定，这里会有条能吐火的飞龙！我准备用我的手电筒一下子把它打趴下。"

"说不定这里会有个专偷小孩儿的巫婆。"

"你们骗人！如果再说，我就不玩了。"玛丽说话的声音有些发抖。

奥斯卡得意地说："我从来都没害怕过，一点点都没有，连狼蛛的毛那么大点都没有。"

"狼蛛是什么？"玛丽问。

我知道狼蛛是什么，其实就是一种又大又凶狠的蜘蛛。据说它们是会咬人的。

谁都不肯当数数找人的，结果只能奥斯卡自己来。

"一……"

"快，"弗洛尔轻轻地对玛丽说，"得快点躲起来。"

"二……"

"能不能躲到奥斯卡家的房子里去？"

"三……"

"快点快点！"雨果边说边跑。

"四……"

11

"五……"

"六……"

有了爸爸给我的手电筒，我想我准能找到个最隐蔽的角落躲起来。可是，天那么黑，我在奥斯卡家的花园里完全辨不清方向。

如果我迷了路，大家再也找不到我怎么办？

我打了个寒战。

"七……"

　　我走到一棵大树后面。可是站在这里，就是把手电筒开到最亮，还是看不清楚地面。地上的树叶发出窸窸窣窣的声音，像是有条蛇在爬。

　　"八……"

"九······"

也许我可以躲到灌木丛里去。可是，说不定里面有只巨大的癞蛤蟆。

“十……”

奥斯卡已经数完了！得赶快躲起来！

　　我躲到了灌木丛里，关掉了手电筒，一动不动。我的心跳得
那么快，真怕奥斯卡在外面都能听到我的心跳声。

　　过了一小会儿，我逐渐适应了周围的黑暗。这其实就和晚上妈妈把卧室的灯关掉以后，房间里漆黑一团一个样子。

　　透过灌木丛，我看见奥斯卡家的房子，其实它离我近得很。

　　奥斯卡最先找到了玛丽。她害怕得要死，结果连手电筒都忘了关，自然第一个被找到。

　　雨果也被找到了！其实雨果藏得挺隐蔽的，他躲在小木屋旁边的木桶后面。

"我看见你了，弗洛尔！"奥斯卡喊，"你的耳朵露在外面了！"
"哇，你马上就要把所有的人都找到了。"玛丽兴奋地喊。

我从躲藏的地方能看见他们所有人，可是他们却看不见我。

雨果和奥斯卡用手电筒把我能躲的地方都照了个遍，连树顶上他们都照过了。

弗洛尔和玛丽看上去很紧张的样子。

"说不定汤姆被狼蛛吃掉了。"

"或者是被巫婆偷走了。"

他们真笨啊！我忍不住想大笑。

"哇！"我突然从灌木丛里跳出来！我赢了！
"是不是巫婆？"玛丽躲到弗洛尔身后叫起来。
"不是，是汤姆！汤姆的胆子可真大！"